# DISNEY·PIXAR
# SENS DESSUS DESSOUS

# VOYAGE dans L'ESPRIT

PRESSES AVENTURE

© 2015 Les Publications Modus Vivendi inc. pour l'édition française.
© 2015 Disney Enterprises, Inc. et Pixar Animation Studios. Tous droits réservés.

Publié par Presses Aventure, une division de
**Les Publications Modus Vivendi inc.**
55, rue Jean-Talon Ouest
Montréal (Québec)  H2R 2W8
CANADA
www.groupemodus.com

Publié pour la première fois en 2015 par Random House sous le titre
original *Journey into the Mind*.

Éditeur : Marc G. Alain
Traductrice : Karine Blanchard

Dépôt légal — Bibliothèque et Archives nationales du Québec, 2015
Dépôt légal — Bibliothèque et Archives Canada, 2015

ISBN 978-2-89751-137-1

Nous reconnaissons l'aide financière du gouvernement du Canada par l'entremise
du Fonds du livre du Canada pour nos activités d'édition.

Gouvernement du Québec — Programme de crédit d'impôt pour l'édition de livres —
Gestion SODEC

**Imprimé en Chine**

# VOYAGE
## dans
## L'ESPRIT

Écrit par Melissa Lagonegro
Illustré par les artistes
de Disney Storybook

Voici le Quartier cérébral.
Il est situé dans le cerveau
de Riley. Riley a onze ans.
Son cerveau est habité
par différentes Émotions
qui prennent soin d'elle.

Joie est une Émotion.
Son travail, c'est de
rendre Riley heureuse.
Joie veut que Riley ait des
souvenirs essentiels joyeux.
Les souvenirs joyeux sont jaunes.

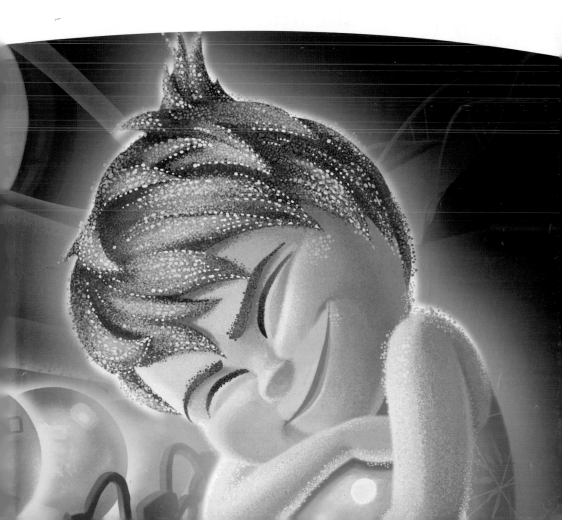

Peur est une autre Émotion.
Il s'assure que Riley est en
sécurité. Dégoût tient Riley
loin des choses répugnantes.

Colère défend Riley. Personne
ne sait ce que fait Tristesse.
Tristesse est déprimante et lente.
Riley est toujours malheureuse
quand Tristesse est aux
commandes.

Les souvenirs essentiels alimentent
les îles de Personnalité de Riley.
Il y a l'île de la Famille,
l'île de l'Honnêteté et
l'île du Hockey.

Riley a aussi une île de
l'Amitié et une île des Bêtises.
Ces îles font de Riley
qui elle est.

Les Émotions sont sous le choc
quand Riley et sa famille
déménagent à San Francisco.
Elles ne savent pas quoi faire.

Tristesse touche à un souvenir joyeux. Il devient bleu et se transforme en souvenir triste. Joie doit empêcher Tristesse de toucher à d'autres souvenirs joyeux.

Riley n'aime pas San Francisco.
Les Émotions sont inquiètes.
Joie essaie de rester positive
et de les rassurer.

Riley fréquente une nouvelle école.

Elle rencontre les élèves.

Tristesse prend le contrôle.

Riley se met à pleurer.

Joie n'aime pas ça du tout

quand Riley pleure.

Joie tente d'arrêter Tristesse.
Joie et Tristesse sont aspirées
en dehors du Quartier cérébral.

Les souvenirs essentiels
de Riley sont aspirés aussi !
Colère, Peur et Dégoût
contrôlent maintenant le
Quartier cérébral !

À table, ce soir-là,
Riley n'est pas contente.
Sans Joie et ses souvenirs
essentiels, elle ne peut pas
avoir de pensées positives.

Riley est en colère.

Elle est impolie avec ses parents.

Ils l'envoient dans
sa chambre.

L'île des Bêtises est engloutie
dans le Vidage mémoire.
Rien ne revient jamais
du Vidage mémoire.
Joie et Tristesse doivent revenir
très vite au Quartier cérébral!

Après le repas, Riley discute
avec son amie Meg.
Meg lui dit qu'elle a une
nouvelle amie.
Riley est contrariée.
L'île de l'Amitié est
engloutie aussi !

Quand Riley était petite,
elle avait un ami imaginaire
appelé Bing Bong.

Joie et Tristesse le rencontrent.
Il peut les aider à regagner
le Quartier cérébral.

Riley passe un test pour joindre
l'équipe de hockey. Sans ses
souvenirs essentiels, elle manque
la rondelle et tombe! L'île du
Hockey est engloutie à son tour!

Bing Bong est triste.

Riley l'a oublié.

Il pleure des bonbons.

Tristesse parle à Bing Bong.

Il se sent mieux.

Colère veut que Riley retourne
à son ancienne maison pour
créer de nouveaux souvenirs.
Riley décide de s'enfuir.

Joie, Bing Bong et Tristesse
tentent de regagner le Quartier
cérébral. Joie et Bing Bong
tombent dans le Vidage
mémoire ! Tristesse est seule.

Joie comprend qu'elle avait mal jugé Tristesse. Riley a besoin de Tristesse pour avoir de la peine avant de pouvoir être heureuse à nouveau.

Joie doit retrouver Tristesse.
Bing Bong l'aide à sortir
du Vidage mémoire.

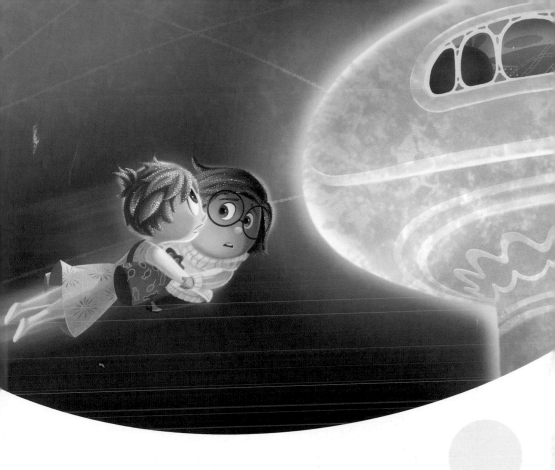

Joie retrouve Tristesse.
Elles sautent sur un
trampoline et reviennent
au Quartier cérébral !

Joie laisse Tristesse prendre
les commandes. Tristesse aide
Riley à se sentir vraiment triste.
Riley se rend compte qu'elle
ne veut pas s'en aller.
Elle retourne voir ses parents.

Riley dit à ses parents qu'elle s'ennuie de leur ancienne vie. Ses parents lui disent que c'est normal d'avoir de la peine. Ils la prennent dans leurs bras.

Désormais, toutes les Émotions travaillent ensemble au Quartier cérébral pour aider Riley.